MIJN SPOOKHUIS

~1~
ARAMiNTA SPOOKiE

MiJN SPOOKHUIS

zoals verteld aan
ANGiE SAGE

geïllustreerd door
JiMMY PiCKERiNG

G O T T M E R · H A A R L E M

© 2006 Angie Sage (tekst)

© 2006 Jimmy Pickering (illustraties)

Oorspronkelijke titel: *Araminta Spookie: My Haunted House*

Oorspronkelijke uitgever: Katherine Tegen Books, an imprint of HarperCollins
Publishers

Voor het Nederlandse taalgebied:

© 2007 Uitgeverij J.H. Gottmer / H.J.W. Becht BV, Postbus 317, 2000 AH
Haarlem (e-mail: post@gottmer.nl)

Uitgeverij J.H. Gottmer / H.J.W. Becht BV maakt deel uit van de Gottmer
Uitgevers Groep BV

Vertaling: Janneke Blankevoort

Omslag en vormgeving: Atelier van Wageningen, Amsterdam

ISBN 978 90 257 4316 1 / NUR 282

Voor Araminta Clibborn,
met veel liefs

INHOUD

DE HELM VAN RIDDER HORATIUS

Het begon allemaal in mijn Donderdagslaapkamer, waar ik voor spook aan het oefenen was. Dat deed ik wel vaker, omdat ik zeker wist dat als je op een spook lijkt, je eerder een echt spook zal tegenkomen. Ik heb altijd al een spook willen vinden, maar ja, ook al heet ons huis Spookie Huis, ik heb er nog nooit een gezien, niet eens een kleintje. Volgens mij zijn ze allemaal gevlucht voor

tante Tabbie – dat zou ik ook gedaan hebben
als ik een spook was.

Nou ja, ik was dus bezig te oefenen; doordat
ik met een laken over mijn hoofd liep strui-
kelde ik over de linkervoet van Ridder
Horatius. Stom. En toen liet zijn linkervoet

los en Ridder Horatius viel in duigen. Stomme Ridder Horatius. Overal rolden stukjes van die stomme Ridder Horatius door de kamer. Ik ging per ongeluk op zijn hoofd staan en mijn voet kwam klem te zitten. Rustig maar, het was geen echt hoofd. Ridder Horatius is gewoon een ranzig oud harnas. Hij hangt altijd rond in een of ander donker hoekje van het huis.

Ik strompelde door de kamer en schreeuwde dat hij los moest laten terwijl ik mijn voet woest heen en weer schudde, maar het hoofd van Ridder Horatius zat muurvast. Toen, perfect getimed, schreeuwde tante Tabbie 'Ontbijten!' met haar 'als-je-nu-niet-komt-geef-ik-het-aan-de-kat'-stem – niet dat we een kat hebben, maar als we er eentje hadden gehad, had ze dat echt gedaan, zeker weten.

Dus ik schudde nog één keer gigantisch hard met mijn voet – eigenlijk was ik verbaasd dat hij er nog aan bleef zitten – en toen vloog de helm van Ridder Horatius de kamer uit, de zoldertrap af. Het was een enorm kabaal. Ik kon hem helemaal naar de kelder horen rollen. Je kunt alle geluiden in dit huis heel goed horen, ook tante Tabbies schreeuw.

Het leek me beter om naar beneden te gaan. Ik roetsjte van de trapleuning en landde op de overloop. Ik wou even kijken of oom Drac al was gaan slapen – hij werkt namelijk 's nachts – en als hij sliep zou ik hem wakker maken zodat hij met me mee naar beneden kon gaan, voor het geval tante Tabbie een woedeaanval zou krijgen. Zijn slaapkamerdeur is de kleine, rode deur aan het eind van de bovenste gang. Door die deur kom je in het torentje.

Ik duwde heel zachtjes de deur open, want daarachter zit een enorm diep gat. Oom Drac heeft alle vloeren uit het torentje gehaald zodat zijn vleermuizen de ruimte hebben om te fladderen. Oom Drac is gek op zijn vleermuizen; hij doet alles voor ze. Ik ben er ook gek op. Ze zijn *zo* schattig.

Ik duwde Grote Vleer opzij en hij viel van boven naar beneden, helemaal tot de bodem van het torentje. Niet dat dat kwaad kan, want op de vloer ligt een dikke laag vleermuizenpoep van wel drie meter; het is heel lekker zacht.

Nu Grote Vleer niet meer voor de deur hing kon ik oom Dracs slaapzak goed zien. Hij hing aan een van de dakbalken, het leek wel een grote bloemenvleermuis – en hij was leeg. Mooi, dacht ik, dan is oom Drac nog beneden bij tante Tabbie. Om zo snel mogelijk beneden te zijn roetsjte ik verder langs de trapleuning en daarna langs de leuning van de keldertrap – wat eigenlijk niet mag omdat die zo los zit. En zo was ik in een mum van tijd bij de tweede-keuken-links-net-voorbij-de-voorraadkast. Daar was het verdacht stil. Oeps, dacht ik, probleempje.

Ik deed supervoorzichtig de deur open, en dat was maar goed ook. Tante Tabbie zat aan het hoofd van de lange tafel haar toast te smeren. Dat deed ze op zo'n manier dat het leek alsof de toast net iets heel erg onaardigs tegen haar gezegd had. Dit werd vast geen gezellig ontbijt. Het zag er allemaal niet best uit.

Het eerste niet-best-teken: de helm van Ridder Horatius lag midden op de tafel. Met veel meer deuken erin dan toen ik hem voor het laatst zag, maar dat was niet mijn schuld. Toen hij van mijn linkervoet vloog was er nog niets aan de hand.

Tweede, derde, vierde, en vijfde niet-best-teken: tante Tabbie zat onder het roet – behalve haar twee brillenglazen, die ze schoon had gepoetst zodat ze haar toast kon aanvallen.

Als tante Tabbie onder het roet zit is dat een heel slecht teken. Het betekent dat ze weer eens ruzie heeft gehad met de verwarmingsketel en dat de ketel heeft gewonnen.

Ik ging rustig en netjes zitten. Oom Drac was zichtbaar opgelucht dat ik ook aanschoof. Het zit zo, ik woon bij mijn oom en tante omdat mijn ouders, toen ik klein was, naar Transsylvanië zijn gegaan om op vleermuizen te jagen. En daar zijn ze nooit van teruggekomen.

Oom Drac was druk bezig zijn gekookte eitje leeg te lepelen en hij had allemaal roet om zijn mond van de zwarte toast die tante Tabbie voor hem had gesmeerd. 'Hallo Minty,' zei hij.

'Hallo, oom Drac,' zei ik. Ik probeerde ook iets leuks te bedenken om tegen tante Tabbie te zeggen, maar de starende ogen in de helm van Ridder Horatius maakten dat ik niet goed kon nadenken. Ook al wist ik dat de helm niet echt ogen had en alleen maar een leeg stuk blik was, ik dacht toch vaak dat hij me aanstaarde.

Tante Tabbie kwakte mijn kom met havermout voor mijn neus neer, en ik zei: 'Dank u, tante Tabbie.' En, omdat tante Tabbie nu eenmaal van een babbeltje bij het ontbijt houdt,

vroeg ik: 'Heeft u weer eens problemen met de verwarmingsketel, tante Tabbie?'

'Ja schat – maar *niet* lang meer,' zei tante Tabbie, terwijl ze haar lippen nauwelijks bewoog.

Als tante Tabbie zo spreekt lijkt het net alsof ze aan het oefenen is voor buikspreker, maar ik weet wel beter: het betekent dat ze

een besluit heeft genomen en dat het haar koud laat of je het wel of niet met haar eens bent.

'O, hoezo, tante Tabbie?' vroeg ik mierzoet, terwijl ik basterdsuiker over mijn havermout strooide en er heel hard in begon te roeren, zodat de havermout een mooie modderkleur kreeg.

Tandenknarsend zei tante Tabbie: '*Hou op* met die suiker, schat. Omdat we gaan *verhuizen*, daarom.'

Ik was druk bezig geulen te graven in mijn havermout – dan krijg je van die lekkere kuilen die vollopen met basterdsuiker, alsof het modder is – maar nu moest ik toch echt even stoppen.

Verhuizen? We konden toch niet verhuizen als ik nog nooit een spook had gevonden? En ik wilde ook nog een vampier en een weerwolf scoren. Ik wist zeker dat er een paar in de kelder zaten.

'Mond dicht als ie-vol is, schat,' zei tante Tabbie.

Dat was niet eerlijk, oom Drac gaapte haar *ook* aan met open mond en die zat toevallig vol met roetige toast, walgelijk.

Toen keek tante Tabbie oom Drac aan met haar Vijandige Blik (die bijna even goed is als de mijne) en ze zei: 'Drac, dit huis is veel te groot voor ons. Het is *stoffig* en het is *vies*, het is *ijskoud* en het zit *vol met spinnen*. Die verwarmingsketel is een *rotding*. Wij gaan naar een mooi, klein, schoon en modern flatje verhuizen, *zonder verwarmingsketel*.'

'Maar ...' sputterde ik. Maar het had geen zin. Tante Tabbie ratelde maar door: 'En in dat flatje vallen er niet telkens helmen van roestige oude harnassen op mijn teen, want daar *zijn* helemaal geen roestige oude harnassen. Ridder Horatius kan naar het grofvuil. Dan kan hij daar worden omgesmolten. Drac, neem hem maar mee.'

'Wat?' zei oom Drac, happend naar lucht, net als een van mijn oude goudvissen deed toen er te weinig water in de kom zat.

Eindelijk kon ik ertussen komen, ook al zat mijn mond nog vol havermoutpap, die ik van schrik niet had doorgeslikt. 'Maar we *kunnen* hier helemaal niet weg, tante Tabbie. Het zal *nergens* zijn zoals hier!'

'Precies,' zei tante Tabbie, alsof we het samen over iets eens waren geworden. 'Het *kan* nergens zijn zoals hier.'

Ik keek naar oom Drac. Dit kon ik niet alleen af.

Oom Drac begreep de hint. 'Kom, kom, Tabbie, liefje,' mompelde hij op zijn rustig-nou-maar-tante-Tabbie-toontje, 'dat kun je toch niet serieus menen.'

'Ik meen het *wel* serieus, Drac,' zei tante Tabbie. Toen probeerde ze mij voor zich te winnen. 'Bovendien, lieve Araminta, klaag jij vaak dat je je hier zo alleen voelt. Denk je eens in hoeveel vriendinnetjes je zou hebben als je in een leuke flat zou wonen.'

Daar trapte ik niet in. 'Dat kan me niks schelen, ik blijf liever hier dan dat ik een hoop domme vriendinnen krijg.'

'Dat zullen we nog wel eens zien,' zei tante Tabbie met haar akelige buiksprekersgezicht.

DIT HUIS IS
TE KOOP

Even later zat ik op mijn Donderdagslaapkamer uit het raam te turen. Ik dacht aan wat
tante Tabbie allemaal gezegd had. Nadenken
gaat bij mij altijd beter als ik iets aan het doen
ben, dus ik peuterde stukjes zwarte verf van
het raamkozijn en gooide die naar de monsters buiten op de balustrade.

Ik had geluk, want ik keek precies op het
juiste moment naar beneden en zag daar de

man bij de voordeur staan. Hij had een flitsend blauw pak aan en bekeek het huis van boven tot onder, terwijl hij allemaal dingen op zijn blocnote schreef. Ik zag het meteen: dit was een makelaar. Tante Tabbie maakte geen geintje.

Nou, ik ook niet.

Ik gleed van de vensterbank en neuriede: 'Pom-pie-dom-pie-dom, tijd om de vissenkom te verschonen.' Die stond achter in een donker hoekje, waar ik hem had neergezet nadat Brian, mijn laatste goudvis, was ontsnapt. Ik weet niet waar Brian is gebleven, maar hij is nooit teruggekomen. Als een soort aandenken heb ik de kom precies zo gelaten zoals hij was toen Brian ontsnapte. Er zat nu een laagje troebel, stinkend water in, vol slijm en oude waterplanten.

De makelaar stond recht onder mijn raam. Ik zette de vissenkom op de vensterbank en

kiepte hem om. Flatsj, de smurrie landde precies op de makelaar. In de roos!

Zijn hoofd en pak zaten onder de groene prut. Heel even stond hij doodstil – alsof hij versteend was –, toen spuugde hij een paar slijmerige stukjes waterplant uit. Hij keek naar boven en ik vuurde mijn Vijandige Blik op hem af.

Uit zijn keel kwam een vreemd spetterend, gorgelend geluid en hij rende de oprijlaan af.

Opgeruimd staat netjes.

Toen ik voor de lunch in de derde-keuken-rechts-om-het-hoekje-bij-het-stookhok kwam, was ik niet verbaasd dat daar tante Tabbie zat te mopperen, nog net zo bokkig als bij het ontbijt.

'Makelaars zijn niet te vertrouwen,' zei ze, terwijl ze een weerloze aardappel aan haar vork prikte en die neerkwakte op mijn bord.

'Ik heb de hele ochtend op hem gewacht, maar ik heb geen makelaar gezien.'

Ik zei niks. Tante Tabbie keek mij even aan en zei toen: 'Ik ga vanmiddag zelf een bord in de tuin zetten. Jij wilt vast wel helpen met schilderen, Araminta.'

'Echt niet,' zei ik.

Ik probeerde tante Tabbie die middag te ontlopen, maar ze vond me toch in de kelder, waar ik op zoek was naar vampiers. Ze sleepte me de tuin in.

'Het is prachtig weer, Araminta,' kwetterde ze. 'Een beetje zon zal je goed doen. Je ziet zo wit.'

Natuurlijk zag ik wit. Ik had een laag kalk op mijn gezicht. Het is net als met spokenjacht — als je een vampier wilt tegenkomen moet je zorgen dat je op hem lijkt. Ik vond dat mijn poging daartoe aardig gelukt was, al hadden mijn tanden nog wel wat langer mogen zijn (ik heb laatst advies aan de tandarts gevraagd, maar die kon me niet echt helpen).

Tante Tabbie rukte een paar brandnetels uit – brandnetels doen het erg goed in onze tuin – en zette een bord en een pot verf neer. Tante Tabbie denkt dat ze een kunstenaar is, maar ik heb zo mijn twijfels.

'Kom schatje,' zei ze, terwijl ze met haar hand op de grond klopte, alsof we samen zouden gaan picknicken, 'je bent toch gek op schilderen?'

'Helemaal niet,' zei ik.

Ik ging op de trap zitten en schopte tegen de brokkelige treden. Dat is een leuk spelletje, want met wat geluk vallen er hele brokken steen af. Ik keek naar tante Tabbie, die zich enorm stond uit te sloven met de verf, zo erg dat zij uiteindelijk net zo onder de verf zat als het bord. Toen de verf op was, maakte tante

Tabbie het bord vast aan een paal en plantte het in de heg.

Op het bord stond:

DIT HUIS IS TE KOOP

Tante Tabbie keek tevreden. Ze veegde haar verfhanden af aan haar jurk en zei: 'Niet slecht. Ik kan het nog wel. Wat vind jij ervan, Araminta?'

Ik zei maar niet wat ik dacht, dat zou onbeleefd zijn. Bovendien was ik hard aan het nadenken. Ik moest en zou een Plan verzinnen – tante Tabbie kon hier niet mee wegkomen. Dus zodra tante Tabbie naar binnen ging om weer eens tegen de verwarmingsketel te schreeuwen, begon ik te broeden op mijn Plan. Het duurde niet lang of ik had iets bedacht. Al snel stond er op het bord:

DIT
HUIS IS NIET
TE KOOP

Simpel.

GIGA HOTELS

De volgende ochtend was ik vroeg op. Ik wist dat tante Tabbie het niet snel zou opgeven. Omdat ik haar in de gaten wilde houden hing ik na het ontbijt een beetje rond in de hal, terwijl ik deed alsof ik spinnen aan het tellen was. Alles was verdacht stil (zelfs tante Tabbie), totdat er op de deur werd geklopt.

Ik rende naar de deur om open te doen, maar tante Tabbie, die zich achter de klok had

schuilgehouden, was er eerder. Ze duwde me met haar ellebogen opzij (tante Tabbie heeft scherpe ellebogen) en deed de deur open.

Op de stoep stond een keurige mevrouw met een aktetas. Ik vertouwde haar voor geen cent, dus ik wierp haar mijn beste Vijandige Blik toe. Ik zag dat het werkte: ze werd lijkbleek en hapte naar adem, net als Brian destijds. Ze deed haar mond open en dicht alsof ze niet meer wist hoe ze moest praten en ten slotte zei ze met een piepstemmetje: 'Ik... ik kom naar het huis kijken. Namens Giga Hotels BV.'

Tante Tabbie keek blij.

Verdorie, dacht ik. Dat had ik weer, zo'n mens van Giga Hotels dat niet kon lezen. Ik stampte naar buiten om naar het bord te kijken, maar daar stond:

Hmm... tante Tabbie was slimmer dan ik dacht.

Ze was druk bezig om Giga Hotels de hal rond te leiden toen ik weer binnen kwam stampen.

'Zo gek, schat,' zei tante Tabbie met een raar lachje. 'Iemand heeft het bord gisteravond veranderd. Ik zag het toen oom Drac naar zijn werk ging. Het zou me niet verbazen als het een van die makelaars geweest is. Nou ja, ik heb het weer mooi in orde gemaakt, vind je ook niet?'

Ik antwoordde niet – ik kon geen tijd verliezen. Ik stormde naar boven naar mijn

Vrijdagslaapkamer en pakte mijn Spookkistje. Ik rukte de deksel eraf, trok mijn witte spooklaken tevoorschijn en strooide er een zak meel overheen. Daarna blies ik een grote ballon op en in het tuutje deed ik een van mijn gierendspookfluitjes. Ik kneep de ballon goed dicht zodat er geen lucht kon ontsnappen en toen gooide ik het laken over mijzelf en de ballon heen.

Ik was er klaar voor.

Al snel hoorde ik tante Tabbie de trap op stommelen. Het geluid van haar lompe laarzen werd gevolgd door het bange klikklakgeluid van Giga Hotels.

Het was tijd om te gaan.

Ik deed mijn slaapkamerdeur open en in de spiegel zag ik een klein, dik, stoffig spook langs schuifelen. Ik zag er niet zo eng uit als ik gehoopt had, maar het kon ermee door. Het kostte moeite om de zoldertrap af te komen, maar ik kwam heelhuids beneden. Toen klom ik op de oude kast op de overloop bij het raam en verstopte me achter het gordijn.

Yes! De valstrik was klaar.

Ik kon tante Tabbie en Giga Hotels iets verderop in de gang horen. Tante Tabbie ratelde maar door over dat zij persoonlijk het geluid van druppende badkamerkranen heel fijn vond, en Giga Hotels mompelde dingen als: 'Veel potentie... Vergane glorie... Themahotel...'

Dat zullen we nog wel eens zien, dacht ik. Ik sprong van de kast af en liet mijn fluitje gaan: *Aiiiiiiie!*

Het was perfect. Giga Hotels werd lijkbleek. Ik zag dat ze besefte dat ze een Grote Vergissing had gemaakt. Ze draaide zich om en begon te gillen. *Echt* hard. Terwijl ze gilde, hing ik in de gordijnen te wapperen met mijn armen zodat het meel als een dikke mist

opstoof. Het gierendspookfluitje werkte
super – het snerpte maar door – maar om
zeker te zijn kreunde ik ook nog een paar keer.

Giga Hotels bleef maar doorgaan. Haar gegil was ongelofelijk – het ging door merg en been – en ze hield maar niet op, niet eens om adem te halen. Tante Tabbie pakte Giga Hotels beet om haar te kalmeren, maar Giga Hotels wilde helemaal niet gekalmeerd worden.

Op dat moment ademde ik wat meel in, waardoor ik een beetje moest hoesten – of eigenlijk wel heel erg. Giga Hotels stopte met gillen en staarde me aan, met haar mond nog open, alsof ze wilde schreeuwen.

Langzaam liep ze achteruit door de gang, recht door een van de oudste spinnenwebben waar de grootste harige spinnen in zitten, en ik zag de allergrootste harige spin precies voor haar neus bungelen. Giga Hotels gaf zo'n ijselijke schreeuw dat mijn oren ervan tuitten. Ze scheurde de trap af en stond binnen twee seconden buiten.

Ik was overdonderd. 'Dat was snel,' zei ik,

terwijl ik mijn laken afdeed en een diepe teug meelvrije lucht nam.

Tante Tabbie keek boos. 'Araminta, wat voer jij in hemelsnaam in je schild?' zei ze. 'Ik weet niet wat je bezielt. Heb je hiervoor mijn beste zelfrijzend bakmeel gebruikt?'

'Ja,' zei ik. 'Maar het werkte niet. Ik ben niet één keer de lucht in gegaan.'

'Ongelofelijk,' mompelde tante Tabbie terwijl ze de spinnen opraapte die uit hun web waren gevallen. Ze zaten onder het meel; tante Tabbie nam ze snel mee naar de keuken om ze af te stoffen.

Ik plofte neer in een berg meel tussen de muffe gordijnen en probeerde mijn spooklaken uit de knoop te krijgen. Tot nu toe ging het goed, vond ik, maar ik wist dat tante Tabbie het niet snel zou opgeven.

Die avond las tante Tabbie mij voor uit *Bedtijdverhaaltjes voor meisjes over monsters en spookjes*. Zodra ze naar beneden was gegaan om de verwarmingsketel weer op te stoken, stond ik op. Ik sloop de zoldertrap af en wachtte in een donker hoekje bij oom Dracs torentje.

Toen de maan was opgekomen, ging de rode deur knarsend open en kwam oom Drac langs geschuifeld. Ik zag hem langzaam de trap af gaan naar de hal, waar tante Tabbie op hem zat te wachten met zijn thermoskan en boterhammetjes. Ze kuste hem gedag en zwaaide hem uit. De voordeur viel zachtjes in het slot, en tante Tabbie verdween weer naar de kelder.

Ik glipte naar buiten en veranderde het bord weer. Nu stond er:

DIT
SPOOKHUIS IS ~~NIET~~
TE KOOP

Het leek me de perfecte truc. Wie zou er nou
een spookhuis willen kopen?

RIDDER HORATIUS

Zaterdagmorgen was een vervelende morgen. Tante Tabbie was weer eens bezig de verwarmingsketel schoon te maken. Meestal houd ik me schuil als tante Tabbie ook maar in de buurt van de verwarmingsketel komt, maar vandaag liep het anders. Ik wilde de voorraad meel in mijn Spookkistje aanvullen, omdat ik wist dat ik snel meer nodig zou hebben, en tante Tabbie bewaart al haar meel in de derdevoorraadkast-links-voorbij-het-stookhok.

Ik was bijna langs de verwarmingsketel-kamer geglipt toen tante Tabbie opkeek en mij zag. Getver. Ik wist dat ze mijn plan zou gaan dwarsbomen. Ze hield een grote, roetige borstel in haar hand, en ze had net een emmer water omver gestoten.

En ja hoor, ze begon meteen te zeuren.

'Araminta, *schatje*,' zei tante Tabbie, 'kun je *alsjeblieft* Ridder Horatius weer in elkaar zet-ten? Hij ligt nu al twee dagen in duigen.'

Ridder Horatius? Sinds wanneer maakte tante Tabbie zich druk over *Ridder Horatius*?

'Moet dat?' vroeg ik geïrriteerd. Ik had wel wat beters te doen dan een berg roestige rot-zooi in elkaar te knutselen. Waarom kwam tante Tabbie altijd tevoorschijn op het moment dat je haar kon missen als kiespijn?

'Ja, dat moet.' Tante Tabbie gaf een schop tegen het rooster. 'Er komen kijkers langs die

het huis misschien willen kopen, en ik denk dat een mooi harnas in de hal het goed zal doen. Mensen zijn gek op harnassen. En, Araminta...'

'Ja?' zei ik.

'Ik wil dat alles keurig opgeruimd is, *alsjeblieft*! Die mensen komen vanmiddag.'

'Vanmiddag?' Ik hapte naar adem. 'Maar dan heb ik helemaal geen tijd meer om...' Oeps.

'Om wat?' vroeg tante Tabbie achterdochtig, terwijl ze me aanstaarde door haar smerige, roetzwarte bril.

'Om... uh... mijn kamer op te ruimen,' zei ik met mijn allerliefste stemmetje.

'Nou, schatje, dan moet je maar eens opschieten, hè?' zei tante Tabbie. 'En neem die vreselijke oude helm alsjeblieft mee naar boven.'

Ik raapte de helm op en maakte dat ik weg

kwam. Niet nog meer kijkers, dacht ik. Konden ze het bord buiten dan niet lezen?

Ik ging de tuin in om te zien of tante Tabbie het bord had veranderd, maar dat was niet zo. Er stond nog steeds:

Ik begreep er niets van. Wie zou er nou een spookhuis willen kopen? Maar om zeker te zijn schreef ik nog iets op het bord en nu stond er:

Ik gooide de helm van Ridder Horatius op de grond in mijn Zaterdagslaapkamer – dat is mijn lievelingskamer omdat je hem alleen via een touwladder en heel klein deurtje kan bereiken. Tante Tabbie komt daar dus liever niet. Het probleem was dat de rest van Ridder Horatius nog steeds in mijn Donderdagslaapkamer lag; het duurde eindeloos voordat ik alle onderdelen de gang door had gesleept en door het deurtje omhoog had gegooid. Ik kan best goed mikken, maar het lukte niet om alles in één keer door het deurtje te gooien.

Ik probeerde Ridder Horatius weer in

elkaar te zetten. Terwijl ik zat te puzzelen welke arm waar moest, bedacht ik mijn Plan voor die middag. Misschien kon ik het stroop-op-de-deurknop-met-onzichtbaar-struikel-draad-plan uitvoeren. En misschien ook nog wel de Slijmemmer-verrassing. Ik kon maar beter het zekere voor het onzekere nemen.

Maar wat het ook zou worden, ik moest Ridder Horatius snel toonbaar maken, want tante Tabbie zou zeker komen kijken hoe het ermee stond.

Het was een hele klus. Ridder Horatius had nog meer deuken gekregen en het lukte niet om alle stukjes op hun plaats te krijgen, hoe hard ik ook duwde. Heel erg irritant.

Het was bijna lunchtijd toen Ridder Horatius weer in orde was – nou ja, bijna in orde: zijn linkervoet wilde maar niet. Die linkervoet is ongeveer de stomste linkervoet die ik ken.

Ik had er genoeg van en besloot Ridder Horatius eens even de waarheid te vertellen.

'Luister, jij muffe, roestige, ouwe emmer,' zei ik, 'ik heb wel wat belangrijkers te doen. Als ik mijn Plannen niet op tijd klaar heb, wordt dit huis gekocht door een paar *enorme* sukkels die niet eens goed een bord in de tuin kunnen lezen. En dan moeten we verhuizen. En dan word *jij* door tante Tabbie bij het grofvuil gezet. En dan word je meegenomen en dan word je platgewalst en omgesmolten tot een berg blikjes – en daar doen ze kattenvoer in. Haha.'

Nu had ik het *echt* helemaal gehad met die linkervoet. Ik bonkte ermee op de vloer en hoorde iets rammelen. Ik schudde hem nog een keer heen en weer en toen gebeurde er iets heel spannends: er viel een kleine koperen sleutel uit.

Het was duidelijk een erg oude sleutel; hij was helemaal versleten, alsof hij honderden jaren in iemands zak had gezeten. En nu komt het: er zat een oud, bruin labeltje aan met daarop wat vage letters. In een ouderwets krulhandschrift stond geschreven:

Deez' sleutel behoort aan den loggia

(voegt zich in alle slooten)

Wat een vreemd woord, 'loggia'. Het klonk als een ver, onbekend land of als een oude, ondergrondse stad. Misschien was dit wel de sleutel van een schatkist op het verlaten eiland Loggia. Ik zei het woord hardop, terwijl ik de wuivende palmbomen en de ruisende zee voor me zag. Toen pas drong het tot me door wat loggia betekende. Het was het oude, saaie balkonnetje boven in de hal. Wie zou *daar* nou naartoe willen?

Ik! Opeens wist ik het: dit was de *perfecte* plek voor mijn Verschrikkelijke Valstrik. Ik heb altijd al een Verschrikkelijke Valstrik willen zetten; eentje die beter was dan al mijn andere valstrikken samen. Vergeleken hierbij zou de Slijmemmer-verrassing een lachertje zijn. Geen enkele koper zou het langer dan vijf seconden uithouden in het huis.

Ik probeerde nog één keer de voet van Ridder Horatius vast te zetten en – ja! – het lukte. Wel achterstevoren, maar wat maakte dat uit? Ridder Horatius had er geen last van, en ik nog minder. Ik had wel wat belangrijkers om me druk over te maken. Bijvoorbeeld hoe ik op het balkon kon komen. Daar was natuurlijk maar één antwoord op – via een geheime gang.

~5~

DE GEHEIME GANG

Behalve een Spookkistje heb ik ook een kist-je voor geheime gangen. Ik heb er altijd al van gedroomd om een keer een geheime gang te ontdekken en nu leek het eindelijk te gaan lukken.

Ik opende de deksel van het Geheime-Gangenkistje en pakte een zaklamp, een bol-letje touw en een noodvoorraad kaas-en-uien-

chips. De zaklamp heb je nodig omdat geheime gangen altijd donker zijn, en het touw gebruik je om de weg terug te kunnen vinden – ik leg je straks wel uit hoe dat werkt. De noodvoorraad chips moet je hebben omdat je van tevoren nooit weet hoe lang je in de geheime gang zit. Het kan een hele lange gang zijn en voor je 't weet zit je er dagen of misschien zelfs weken.

Toen ging ik op zoek naar de geheime deur. De meest logische plek leek mij in de houten panelen onder de trap. Als je daartegenaan schopt klinken ze hol. Maar het was niet zo makkelijk als ik dacht; tante Tabbie had overal een dikke laag bruine verf overheen gekladderd. Na lang turen ontdekte ik een deukje in de vorm van een sleutelgat. Ik krabde de verf weg met de sleutel en toen zag ik het: een klein koperen sleutelgat waar precies het koperen sleuteltje in paste. Ik draaide het sleuteltje om en kijk – er zwenkte een geheime deur open.

Ik deed mijn zaklamp aan en scheen naar binnen. Het was een geheime gang zoals een geheime gang hoort te zijn – donker, stoffig, en echt heel erg geheim. Je kon zo zien dat hier al in geen jaren meer iemand geweest was. Best raar dat *ik* hier nu wel naar binnen zou gaan. Helemaal alleen. Niet dat ik tante

Tabbie miste, zij was echt de laatste die ik nu bij me zou willen hebben. Maar een vriend was wel gezellig geweest. Nou ja, je moet vooral niet denken dat ik bang was om alleen naar binnen te gaan, want dat was absoluut niet het geval. Ik ben per slot van rekening gewend om dingen in mijn eentje te doen.

En dan nu het verhaal van het touw. Als je een geheime gang binnengaat moet je één eind van het touw aan iets vastmaken. Daarna rol je het bolletje touw af, zodat je altijd weer de weg terug kan vinden.

Aan de andere kant van de geheime deur zat een spijker, daar maakte ik het touw aan vast. Perfect. Toen deed ik de deur dicht zodat tante Tabbie niets zou merken. Ik deed mijn zaklamp aan en ging op pad, terwijl ik het touw afrolde.

Het was echt een vreemde geheime gang: heel smal en met overal spinnenwebben. Er hing een vochtige, schimmelachtige lucht. Het leek erop dat de gang langs de houten panelen van de overloop liep, want de hoge wanden waren van ruw hout. Hoewel de gang smal was, kon ik er toch gemakkelijk doorheen lopen. Ik kreeg alleen wel steeds dikke spinrag in mijn gezicht. Het *krioelde* er van de spinnen, hele vette. Maar gelukkig ben ik daar niet bang voor.

Ik was sowieso niet bang. Niet echt. Ik was per slot van rekening toch nog steeds in mijn eigen huis? Maar het was wel even schrikken toen de gang plotseling uitkwam op een houten platform. Ik twijfelde of ik erop zou gaan staan. Als je ook maar iets van geheime gangen afweet, weet je dat het daar vaak barst van de valkuilen. Dus ik stopte en dacht na wat ik moest doen. Ik scheen omhoog met mijn zaklamp, maar dat hielp niet echt. Toen ik beter keek zag ik dat er rondom het platform

randen waren,
alsof het een
krat was, en aan
weerszijden zaten
touwen. Het deed
me aan iets denken,
maar ik wist niet wat.
Toen wist ik het!

Dit was een goede-
ren-lift.

Nee, niet een lift waar
je goed in kan rennen,
maar een lift voor goede-
ren. Zo'n lift zit er ook in de
eerste-keuken-rechts-voor-
bij-de-waskamer. Ooit ben ik
op een oersaaie, regenachtige
dag in dat ding gestapt en heb
mezelf omhoog gesjord naar de
eetkamer, waarna ik eindeloos op

en neer ben gegaan. Ik had nog nooit zo'n leuke middag gehad. Totdat tante Tabbie me betrapte. Die heeft er toen planken voor gespijkerd, zodat ik er niet meer in kon. Heel flauw.

Dus ik stapte op het platform en begon aan het touw te trekken, net zoals ik toen had gedaan. Het platform begon te kraken, maar er gebeurde verder niets. Ik legde mijn zaklamp neer en trok nu met beide handen aan het touw – er kwam beweging in! Dat was wel even schrikken, want het platform zakte de diepte in. Het leek alsof ik me in een donkere schoorsteen bevond en ik had geen idee waar ik uit zou komen. Ik was dan ook best opgelucht toen ik de bovenkant van een oude deur tevoorschijn zag komen.

Ik liet de lift voor de deur stoppen. Meteen zag ik dat het een heel oude deur was. Het leek op een kasteeldeur met grote ijzeren scharnieren. Maar ik zag nergens een deurknop en hij bewoog niet toen ik ertegenaan duwde. Stomme deur. Ik gaf er een harde duw tegen, en ook nog een schop, maar dat hielp niets; er was geen beweging in te krijgen. Toen herinnerde ik me wat er op het labeltje had gestaan:

'voegt zich in alle slooten'

Ik kon me niet voorstellen dat het sleuteltje zou passen omdat het veel te klein leek voor zo'n grote deur, maar toen ik goed keek zag ik een klein koperen sleutelgat, precies zo een als in de toegangsdeur van de geheime gang. Het sleuteltje draaide soepeltjes om en de deur vloog open.

Ik scheen met mijn zaklamp naar binnen en zag een kamertje. Daar waren een kleine haard, een paar nogal donkere en stoffige schilderijen, en aan de wand een paar grote oude kaarsen in koperen kandelaars. Ergens in een hoek stond een kapotte stoel met daarop een stapel gescheurde boeken. En voor de haard lag een oud tapijt. Ik hield mijn adem in. Het was zo stil dat ik bijna niet naar binnen durfde te gaan.

Maar ik deed het toch.

Op mijn tenen ging ik naar binnen en ik scheen langs de muren, op zoek naar een deur die naar het balkon zou leiden. Er waren geen ramen, maar wat verwacht je anders bij een geheime kamer midden in een huis?

Er was wel een deur. Super, dacht ik, en in drie stappen was ik de kamer door. Ik draaide het koperen sleuteltje om in het slot en de deur ging open. Ik was bijna zo naar buiten gestapt, zo graag wilde ik op het balkon komen. De tijd begon tenslotte te dringen. Maar ik wist dat je in een geheime gang altijd goed moet uitkijken waar je loopt. Gelukkig

maar, want achter de deur was *niets*. Achter de deur was één groot, diep gat. Doodeng.

Uit het gat steeg een warme, muffe lucht op. Het rook naar roet en vocht. Ik scheen met mijn zaklamp in de diepte en zag een oude, houten ladder...

Maar ik wilde helemaal niet naar beneden; ik wilde het balkon vinden. Dus ging ik de kamer weer in en deed alles wat je maar kunt doen om een geheime deur tevoorschijn te toveren. Ik probeerde de koperen kandelaars te draaien, maar die zaten muurvast. Ik keek achter de oude schilderijen, maar daar zat niets. Ik schopte zelfs tegen de haard, maar die voelde als een blok beton. Hier kon ik niet naar het balkon komen, dat was duidelijk.

Dus besloot ik toch maar langs de ladder naar beneden te klimmen.

Dat was eng. De ladder piepte en kraakte, maar ik wist dat dat er nu eenmaal bij hoorde

als je een geheime gang in gaat.
Toen knalde de deur dicht
en van schrik viel ik bijna
van de ladder af. Dat
was pas echt eng.
Ik kon met
moeite langs
de ladder
afdalen

omdat
ik me
maar met
één hand
kon vasthou-
den. In mijn
andere hand had ik
de zaklamp – en het
bolletje touw hield ik
tussen mijn kaken

geklemd. Touw smaakt echt niet lekker.

Wat ik ook minder vond was dat de lucht steeds heter werd. Als je dichter bij het middelpunt van de aarde komt wordt het ook steeds heter. Hoe verder ik afdaalde hoe meer ik mij afvroeg of ik misschien te dicht bij het gedeelte kwam waar alle stenen smelten. Net toen ik me bedacht dat ik beter terug kon gaan, kwam ik bij de laatste tree. Ik stapte op de grond. Dat voelde best stevig, dus ik was nog niet bij de gesmolten stenen aangekomen. Ik was nu echt in een tunnel beland, met bakstenen rondom en zand op de bodem. Ik besloot een eindje de tunnel in te gaan, want wie weet zat het balkon net om het hoekje. De tunnel kronkelde heen en weer en de lucht werd steeds heter. Daar begreep ik helemaal niets van, want ik ging niet meer naar beneden.

En toen hoorde ik het – een afschuwelijk,

tandenknarsend, tenenkrommend, kletterend geluid. Precies het geluid van een geketend spook dat een ketting en een bal achter zich aan sleept. Ik heb begrepen dat je dit soort ketting-en-bal-spoken beter kunt mijden. Ze zijn niet te genieten omdat ze steeds dat zware spul achter zich aan moeten slepen.

Ik stond stil en deed mijn zaklamp uit, zodat ik niet gezien kon worden door het ketting-en-bal-spook, maar ik werd er niet geruster op. Omdat ik alleen maar minder zag in het donker, deed ik snel mijn lamp weer aan.

Op dat moment barstte het gegil los. Het was een afgrijselijk gegil dat door merg en been ging. Het echode langs de wanden van de geheime gang. Mijn oren suisden. Dit was het engste geluid dat ik ooit, *ooit* had gehoord.

En het ergst van alles was dat dit maar één ding kon betekenen: ik wist dat het ketting-en-bal-spook eraan kwam om mij te pakken.

EDMUND

Tante Tabbie zal het vast beschouwen als een goeie grap, maar ik vind het niet kunnen dat je iemand die door een geheime gang doolt de stuipen op het lijf jaagt. Om met de woorden van oom Drac te spreken: dat is beneden alle peil.

Al snel drong het tot me door dat een ketting-en-bal-spook niet gilt: 'DIE VERVLOEKTE VERWARMINGSKETEL!'

Eigenlijk weet ik wel zeker dat een gemiddeld ketting-en-bal-spook helemaal niks met ver-warmingsketels heeft.

'DIE VERVLOEKTE VERWAR-MINGSKETEL! IK HAAT DIT ROOS-TER!' Ik kon tante Tabbie door de muur van de geheime gang heen horen schreeuwen, alsof ze naast me stond. Ik was blij dat dat niet zo was, want ik hoorde haar hard tegen de kolenkit trappen en de schep tegen de muur smijten.

Maar de tijd begon te dringen. Binnenkort zou er een hele bende mensen door het huis dolen; mensen die gek waren op spookhuizen en die bedacht hadden dat *zij* in plaats van *ik* hier zouden gaan wonen. En als ik niet uit-keek zou ik stranden in een geheime gang zonder ook maar iets te kunnen doen. Ik besloot het balkon te laten voor wat het was en terug te gaan om mijn Slijmemmer-verrassing klaar te maken. Dat was in elk geval beter dan niets.

Omdat ik me dood geschrokken was van tante Tabbie besloot ik om, voordat ik terugging, haar ook één keer de stuipen op het lijf te jagen. Ik zocht naar een spleet in de muur waar ik met mijn zaklamp doorheen kon schijnen, zodat zij zou denken dat er een spook in het stookhok ronddoolde – en toen zag ik hem.

Ik zag een spook.

Hij zat een eindje verderop in de geheime gang in een donker hoekje. Eerst was ik zo verbaasd dat ik dacht dat het een gewone jongen was, dus ik zei: 'Hé! Wat doe jij daar?'

Maar toen hij me aankeek, kreeg ik de bibbers. Dit was een spook, dat wist ik zeker. Hij had waterige, spookachtige ogen en hij gaf vaag licht. Het leek een spook uit een ver verleden, want hij had een raar bloempotkapsel en hij droeg een gewaad met een grote capuchon. Onder zijn riem had hij een dolk, en dat zag er indrukwekkend uit. Ik heb er al zo vaak om gevraagd, maar ik mag geen dolk van tante Tabbie. Ergens had ik het gevoel dat ik hem al eens eerder had gezien; hij leek als twee druppels water op de middeleeuwse pages uit mijn boek met ridderverhalen.

Gelukkig was hij geen eng ketting-en-balspook. Ik ging naar hem toe en vroeg voor de zekerheid: 'Ben jij een *echt* spook?'

Hij gaf geen antwoord – eigenlijk keek hij alleen maar geschrokken, alsof *hij* een spook had gezien. Dat was een beetje jammer; het leek wel de omgekeerde wereld, want *ik* zou eigenlijk van *hem* moeten schrikken.

'Nou, hoe heet je?' vroeg ik.

Hij gaf nog steeds geen antwoord. Dat vond ik behoorlijk onbeschoft. Tante Tabbie zou het met me eens zijn geweest. Hij keek weg en staarde naar de grond. Het was duidelijk dat hij hoopte dat ik zou verdwijnen. Maar dat kon hij vergeten; nu ik na al die jaren eindelijk mijn eerste spook had gevonden zou ik niet zomaar weglopen.

'Je moet toch een *naam* hebben?' zei ik. Ik had verwacht dat er meer lol aan een spook te beleven was. Dit was wel een heel saai exemplaar. Maar toen hoorde ik iets waar al mijn haren van overeind gingen staan. De ruimte werd gevuld met een vreemd, hol gefluister.

'EDMUND...' zoemde het. Het was de jongen zelf die fluisterde. Het klonk angstaanjagend.

Edmund steeg op en kwam naar me toe zweven. Ik deinsde achteruit; opeens wist ik niet meer zo zeker of ik wel met een spook wilde praten. En toen zei Edmund iets heel raars – hij zei: **'BENT U DE TABITHA?'**

Hij sprak met een vreemd accent dat me deed denken aan de Franse mensen die hier een keer op de stoep stonden omdat ze dachten dat dit een hotel was. Die waren gauw weer weg.

'Nee,' zei ik. 'Ik ben de... ik ben Araminta.'

'MOOI.' zei Edmund, en hij liep langs de muur omhoog, om daarna op zijn kop over het plafond te wandelen. **'IK HEB EEN HEKEL AAN DE TABITHA.'** zei hij met zijn rare accent. **'DE TABITHA MAAKT TE VEEL LAWAAI.'**

Daar had hij gelijk in, dacht ik. Soms had ik ook een hekel aan de Tabitha, en de Tabitha was absoluut een herrieschopper. Om precies te zijn kon ik net op het moment dat Edmund het zei, tante Tabbie woest kolen horen scheppen. Ze smeet ze in de ketel en knalde de deur dicht. Waarschijnlijk had Edmund in de loop der jaren een hoop last van haar woedeaanvallen gehad.

Toen, net op het moment dat ik hem aardig begon te vinden, zei Edmund: 'NU MOET JE GAAN.'

'Wat?' zei ik.

'NU MOET JE GAAN. JE MOET NIET DICHTERBIJ KOMEN.'

'Waarom?'

Hij gaf geen antwoord. Hij deinsde alleen maar op en neer voor mijn neus met fladderende armen, alsof hij bang was dat ik erlangs zou willen. Nou, daar hoefde hij zich geen zorgen over te maken, geen haar op mijn hoofd die eraan dacht om door een spook heen te lopen. *Brrr.* Dat deed ik dus mooi niet.

'Nou, ik wil ook helemaal niet dichterbij komen,' zei ik. 'Ik kwam hier alleen maar om te kijken of ik hier op het balkon kon stappen.'

'HET BALKON IS HIER NIET.' zei Edmund, die opeens zomaar rondjes om me heen begon te draaien. 'DUS JE MOET GAAN. VAARWEL.'

Het klonk alsof Edmund wist waar het balkon was. Ik vroeg hem of hij me ernaartoe wilde brengen.

'ALS IK JE DE WEG WIJS. GA JE DAN WEG?' vroeg hij.

Ik blijf nooit ergens hangen als ik niet wel-kom ben. Ik heb wel wat beters te doen.

'Luister, ik wil helemaal niet hier blijven,' zei ik.

'O NEEP' zei Edmund. 'GOED ZO. VOLG ME MAAR.'

Dus ik liep achter hem aan.

~7~

HET BALKON

Edmund gaf heel helder licht, dus ik deed mijn zaklamp uit om de batterijen te sparen. Als je in een geheime gang verzeild raakt moet je altijd aan je batterijen denken, want je weet nooit hoe lang je er zit. En er is niets erger dan zonder licht in een geheime gang te zitten.

Ik liep achter Edmund aan die door de gang zweefde, en ik dacht aan tante Tabbie

aan de andere kant van de muur. En hoe ze een aanval zou krijgen als ze wist wat ik aan het doen was – maar dat zou nog niks zijn vergeleken bij haar aanval straks als ik mijn Verschrikkelijke Valstrik bij het balkon zijn werk liet doen.

Al snel klom ik de gammele oude ladder op terwijl Edmund voor me uit zweefde. Spoken hebben het maar makkelijk vergeleken bij normale mensen. Het was niet eerlijk, ik moest omhoog klauteren met in één hand mijn zaklamp en ondertussen moest ik ook nog eens mijn bolletje touw opwinden.

Toen we boven kwamen stopte Edmund bij de deur.

'Ga maar,' zei ik. Ik begreep niet waarom hij stopte, iedereen weet toch dat spoken door deuren heen kunnen zweven.

'DIT IS EEN MOEILIJKE DEUR.' zei hij. 'IK MOET HIER EIGENLIJK NIET KOMEN. HET IS

NIET MIJN KAMER.'

'Het is al goed,' zei ik. 'Ik heb de sleutel.'

Edmund klonk verrast. **'HEB JIJ DE SLEU-TEL?'** Hij gaf steeds zwakker licht en plotseling was hij verdwenen – hij was dwars door de deur gegaan. En ik stond daar maar, boven op die gammele oude ladder in het pikkedonker. Te gek. Nadat ik eindeloos met de sleutel had staan hannesen, lukte het me om de deur te openen en ik tuimelde de kamer in. Daar zweefde Edmund een beetje in het rond. Hij keek me suf aan en leek niet van plan me te helpen.

'Dus waar is nou precies dat balkon?' vroeg ik terwijl ik opkrabbelde.

Edmund wees naar de haard. **'JE MOET DAARDOORHEEN.'**

'Ja, dat is lekker,' zei ik. 'Hoe kan ik nou door een haard heen? *Jij* hebt makkelijk praten. Jij bent een spook, maar ik kan niet

zomaar door een oude, zwartgeblakerde muur
heen...'

'JE PRAAT NET ALS DE TABITHA.' zei
Edmund. 'MIJN OREN TUITEN. WAAR IS DE
SLEUTEL?'

'Welke sleutel?' vroeg ik boos.

'DE SLEUTEL DIE TOEGANG GEEFT TOT HET BALKON.' zei hij op een toon alsof ik olie-dom was. 'DE SLEUTEL DIE JE OP JE LIJF DRAAGT.'

'Op mijn *wat?*' zei ik. Toen drong het tot me door wat hij bedoelde en ik viste de sleutel uit mijn zak. 'Kijk eens,' zei ik en ik gaf hem de sleutel. Natuurlijk viel die meteen door zijn hand heen op de grond. Slim. Ik was even vergeten dat Edmund niet een irritant klein jongetje was, maar een spook.

Edmund wapperde met zijn hand in de richting van de haard. **'DOE DE SLEUTEL IN HET SLEUTELGAT.'** Toen zag ik midden in de haard een klein sleutelgat dat ik nog niet eerder had gezien. **'DIT VERSCHAFT TOEGANG TOT HET BALKON. VAARWEL.'** Toen schoot hij weg en verdween door de deur.

Ik deed de sleutel in het gat en draaide hem om. Het lukte! De haard schoof opzij en een heldere straal zonlicht scheen de kamer in. Ik wrong me door de opening en belandde eindelijk op het balkon.

Het was raar om zo hoog boven de hal te

staan. Alles zag er zo pietepeuterig uit. Ik
voelde me net als een van de vogels die altijd
in de grote oude bomen in de tuin zitten. Ik
was zo blij dat ik eindelijk op het balkon stond
dat ik bijna naar tante Tabbie had geroepen
dat ze moest komen kijken waar ik zat.
Gelukkig hield ik mezelf nog net op tijd in.

Maar het drong pas tot me door wat een geluksvogel ik was toen ik naar beneden keek. Het balkon bleek precies boven de deurmat te zitten. Dit is exact de plek waar mensen die hier nog nooit eerder zijn geweest stilstaan en verwonderd om zich heen kijken. En dat doen ze dan meestal met open mond, zonder iets te zeggen. En dat duurt dan best lang, kan ik je zeggen.

Dit was perfect. Araminta's Verschrikkelijke Valstrik zou een absolute topper worden. Ik trok mezelf weer snel omhoog in de goederenlift en schoot terug door de geheime gang. Maar toen ik het kleine deurtje onder de trap openduwde, wachtte daar iemand op me.

RIDDER HORATIUS

Drie keer raden wie dat was? Nee, geen tante Tabbie. Nee, ook niet oom Drac, maar Ridder Horatius.

'**GOEDEMORGEN!**' klonk een vreemde, bulderende stem die ergens van binnenuit het harnas leek te komen. Ik kreeg meteen overal kippenvel en mijn knieën voelden als pudding, zo griezelig was het.

'Ghh… goedemorgen, Ridder Horatius,' slikte ik. Even overwoog ik of ik terug de geheime gang in zou rennen, maar ik betwijfelde of mijn benen dit zouden redden.

Ridder Horatius kwam dreigend op me af. Hij zag er erg wiebelig uit. Ik dook weg, omdat ik er niet veel vertrouwen in had dat hij lang heel zou blijven – ik had hem per slot van rekening zelf in elkaar gezet. En het laatste waar ik nu op zat te wachten was bedolven te worden onder een hoop roestig staal.

Het leek me beter om te proberen de zaken uit te leggen. Ik weet dat het niet altijd helpt om iets uit te leggen, zeker niet als degene aan wie je iets wilt uitleggen tante Tabbie is. Maar ik dacht dat het met Ridder Horatius anders zou zijn. Dus met mijn meest beleefde stem zei ik: 'Uhh... Het spijt me heel erg, Ridder Horatius. Maar ik... uh... Ik dacht dat u gewoon een... uh...'

'EEN ROESTIGE OUDE EMMER WAS,' viel Ridder Horatius mij in de rede, iets wat volgens tante Tabbie heel onbeleefd is.

'Ah...' mompelde ik, terwijl ik probeerde te bedenken wat ik nog meer geroepen had toen ik Ridder Horatius aan het opbouwen was. In mijn ogen was hij nog steeds een roestige oude emmer, maar ik had niet verwacht dat het een *pratende* roestige oude emmer zou zijn. Het leek me verstandig om het vraagstuk spook met Ridder Horatius te bespreken, dus ik vroeg hem: 'Bent u ook een spook?'

'OOK, HOEZO OOK?' bulderde hij. 'AH... BEHALVE EEN RIDDER VAN HET LEGIOEN, BEDOEL JE. WELNU JA, MEJUFFROUW SPOOKIE, IK BEN INDERDAAD EEN SPOOK. DE GEEST VAN RIDDER HORATIUS, VOORBODE VAN HERNIA HAL, UW EDELE DIENAAR.' Hij maakte een zwierige buiging. Drie schroeven vielen uit zijn nek en rolden de trap af.

Wauw. Dat betekende dat ik vanochtend al *twee* spoken had gezien – wanneer gebeurt zoiets nou? Dat zal je altijd zien, dacht ik.

Jaren probeer je een spook te vinden en dan komen er opeens twee tegelijk langs. En dat net op het moment dat tante Tabbie heeft besloten dat ik en oom Drac het huis uit moeten.

Nu viel alles op zijn plaats. Ridder Horatius bleef nooit lang op één plek staan, en ik dacht altijd maar dat tante Tabbie een geintje uithaalde door hem 's nachts te verplaatsen. Dat is precies het soort flauwe grappen waar tante Tabbie van houdt. Maar nu begreep ik het – Ridder Horatius verplaatste zichzelf.

'Het spijt me echt heel erg van uw helm… uh… ik bedoel uw hoofd,' zei ik, terwijl ik probeerde te vergeten hoe ik de helm de trap af had geschopt. Ik hoopte maar dat hij dat ook zou doen.

'HEB EEN VERSCHRIKKELIJKE HOOFDPIJN,' zei Ridder Horatius.

'O, ja, daar was ik al bang voor,' zei ik vol medelijden.

'HET LOPEN GAAT OOK HEEL ERG MOEILIJK,' ging hij verder. We keken allebei naar zijn linkervoet, die nog steeds achterstevoren zat.

'Uh... ja, ik snap dat dat niet makkelijk gaat,' zei ik, terwijl ik zo behulpzaam mogelijk probeerde te klinken.

'MAAR,' bulderde en rammelde hij tegelijkertijd, 'DAT IS NIET WAAR IK ME ZORGEN OVER MAAK. WAAR IK ME ZORGEN OVER MAAK IS DAT GEDOE OVER HUIZEN VERKOPEN.'

'O, mooi,' zei ik, 'dat is ook precies waar ik mee zit.'

Ridder Horatius zwalkte een beetje heen en weer, en ik dook net op tijd weg voor een veer die uit zijn nek sprong en op de grond stuiterde. 'EN DAT GEDOE MET VUIL,' zei hij.

Even snapte ik niet wat hij bedoelde, ik wist niet dat Ridder Horatius een hekel had aan viezigheid. Toen begreep ik wat hij bedoelde. 'U bedoelt grofvuil.'

'**IS DAT WAT IK BEDOEL?**' bulderde hij. '**NOU, HET MAAKT ME NIET UIT HOE HET HEET. IK VERTROUW HET NIET. IK HEB ALTIJD EEN HEKEL AAN BLIKJES GEHAD. ONMOGELIJK OPEN TE KRIJGEN. HAAT KATTENVOER.**'

En toen kwam Ridder Horatius overeind, met een geknars dat door merg en been ging. Maar erg ver kwam hij niet. Hij ademde diep. '**IETS,**' bulderde hij zo hard dat ik bang was dat tante Tabbie het zou horen, '**ER MOET IETS GEDAAN WORDEN. DIT HUIS MAG NIET VERKOCHT WORDEN!**'

'Precies!' riep ik. 'En ik heb echt een supergoed idee. Ik zet mijn Verschrikkelijke Valstrik klaar op het balkon…'

'**OP MIJN BALKON?**' viel hij me in de rede. '**IN MIJN KAMER?**'

Oeps – dus het was de kamer van Ridder

Horatius. En hij leek het niet op prijs te stellen dat anderen in die kamer kwamen. Ik begreep wel hoe hij zich moest voelen; ik vind het ook nooit leuk als tante Tabbie in een van mijn slaapkamers komt.

Ik kon het maar beter uitleggen. 'Het spijt me, Ridder Horatius, maar ik vond de sleutel in uw voet, en…'

Maar hij onderbrak me weer. **'DAT WEET IK.'** Hij wiebelde zijn linkervoet heen en weer alsof er spelden in zaten – maar dat was zeker niet zo, want ik had hem zelf leeggeschud en het enige wat erin zat was een sleutel. **'DAT KAN IK ME NOG GOED HERINNEREN. TOEN HAD IK MIJN HOOFD ALWEER TERUG.'**

'Het spijt me echt heel erg,' zei ik. 'Wilt u uw sleutel terug?'

Ridder Horatius schudde langzaam zijn hoofd heen en weer met een afschuwelijk knarsend geluid, alsof hij een pepermolen was.

'HOUDT U DE SLEUTEL MAAR, MEJUFFROUW SPOOKIE,' zei hij. 'IK ZOU HET ZEER OP PRIJS STELLEN ALS U MIJN BAL- KON ZOU GEBRUIKEN VOOR UW VER- SCHRIKKELIJKE VALSTRIK. IK HEB ZELF IN HET VERLEDEN DIVERSE VERSCHRIK- KELIJKE VALSTRIKKEN VOORBEREID. ZE KUNNEN VEEL EFFECT HEBBEN. IK ZAL MIJN TROUWE PAGE EDMUND VRAGEN OM U TE ASSISTEREN.'

Aha. Dus dat was wat Edmund was.

'Heel erg bedankt, Ridder Horatius.'

'GRAAG GEDAAN, MEJUFFROUW SPOOKIE,' en hij maakte een diepe buiging.

'Voorzichtig!' riep ik, maar het was te laat. Het hoofd van Ridder Horatius viel en rolde de gang door. Ik kon het nog net tegenhou- den voordat het de trap af zou rollen. Jammer genoeg werd ik gezien door tante Tabbie, die één verdieping lager druk in de weer was met de spinnenwebben.

'Heb je Ridder Horatius nou nog niet in elkaar gezet, Araminta?' blafte ze terwijl ze tegelijkertijd honderden spinnen dakloos maakte. Tante Tabbie doet niets liever dan spinnen en mensen dakloos maken.

'Bijna klaar, tante Tabbie,' riep ik, en ik rende terug naar Ridder Horatius.

Hij was op de trap gaan zitten en keek verrast om zich heen. Tenminste, ik denk dat hij verrast keek, maar dat was natuurlijk moeilijk te zien. Ik zette zijn hoofd weer terug. Dit keer deed ik het voorzichtiger en nu ging het goed, want toen ik hem op zijn schouders had gezet hoorde ik een klein klikje.

'AH, DAT IS BETER,' zei hij. 'DIE KNIK IN MIJN NEK IS NU HELEMAAL VERDWENEN.' Hij draaide met zijn hoofd, en het klonk niet langer als een pepermolen. Ik kon tevreden zijn.

Toen pakte hij de leuning en trok zichzelf omhoog, zodat hij bijna rechtop stond, en hij zei: 'NOU, MEJUFFROUW SPOOKIE, HELEMAAL IN ORDE. U GAAT UW VALSTRIK KLAARMAKEN EN LAAT DE REST MAAR AAN MIJ OVER.'

'Super,' zei ik.

'OKIDO. EN BRENGT U ALSTUBLIEFT MIJN

ORDERS OVER AAN DE JONGE EDMUND. ZEG HEM DAT HIJ U OP ALLE MOGELIJKE MANIEREN MOET ASSISTEREN. TOT WEDER- ZIENS, MEJUFFROUW SPOOKIE.' Hij begon te buigen, maar toen bedacht hij zich. Hij liep zwalkend weg en nestelde zich in een donker hoekje.

Dit bleek uiteindelijk toch een goede dag te zijn: één geheime gang, twee spoken, en nog een Verschrikkelijke Valstrik te gaan. Wat wilde ik nog meer?

VALSTRIKPAKKET

Je hebt ongelofelijk veel nodig voor een Verschrikkelijke Valstrik. En waar ik nu het meeste van moest hebben was – *vleermuizen*, heel erg veel vleermuizen. Dus ging ik naar het torentje van oom Drac om er zo veel mogelijk te vangen. Daar ben ik best goed in, doordat ik oom Drac altijd help als zijn vleermuizen weer eens ontsnapt zijn. Tante Tabbie

haat vleermuizen. Ze is bang dat ze nestjes in haar haar gaan bouwen, maar een vleermuis met een beetje eigenliefde haalt het niet in zijn hoofd om ook maar in de buurt van haar haar te komen. Daar zitten allemaal haarspelden in. Voordat hij 't weet is hij vleermuissaté aan een stokje.

Ik duikelde mijn vleermuizentas op en al snel kroop ik boven in het torentje over de dakbalken. Oom Drac was diep in slaap. Hij lag te snurken; zijn slaapzak ging met elke snurk heen en weer. Om hem heen lag een hele horde vleermuizen te slapen, maar ik geloof niet dat die lagen te snurken. Of misschien kon ik dat niet horen. Misschien zijn vleermuizensnurkjes te hoog voor het menselijke gehoor.

'Kom eens, vleermuisjes,' fluisterde ik, en ik pakte er zo veel als ik kon en stopte ze in mijn tas. De vleermuizen vonden het niet erg;

ze waren gek op mijn tas. Nou ja, iedereen
behalve Grote Vleer. Die oude bromvleer-
muis houdt helemaal *nergens* van. Maar ik had

Grote Vleer ook voor mijn valstrik nodig omdat hij er zo eng uitziet. Ik pakte hem beet toen hij even niet keek. Hij piepte moord en brand.

Oom Drac hield op met snurken en kreunde wat in zijn slaapzak. Ik bevroor. Hij moest niet wakker worden, want ik wist zeker dat hij me nooit zijn lieve vleermuisjes mee zou laten nemen, ook al was het om te voorkomen dat het huis verkocht werd. Zijn vleermuizen zijn voor hem het allerbelangrijkste op aarde.

Toen ik genoeg vleermuizen verzameld had nam ik ze allemaal mee naar de kamer van Ridder Horatius. Daar liet ik ze rustig in het donker verder tukken. Ze zagen er heel tevreden uit.

Wat ik ook nog nodig had voor mijn Valstrikpakket was... *aardbeiengelatinepudding*. Dat was lastiger, want hiervoor moest ik in tante Tabbies domein zijn. Ik moest naar de vierde-keuken-rechts-net-voorbij-het-stookhok. Ik racete langs het stook-hok; tante Tabbie was in geen velden of wegen te bekennen, maar dat zou niet lang duren, want in de hoek lag alweer een grote berg roet klaar om opge-veegd te worden.

In een mum van tijd was ik in de vierde-keuken-rechts-net-voor-bij-het-stookhok. Daar vond ik wat ik zocht – een enorme doos gelatinepuddingpoeder voor extra plakkerige aardbeienpudding. Ik maakte twee emmers

vol drilpudding. Net toen ik ze door de kel-
dergang aan het sjouwen was hoorde ik tante
Tabbie.

'Ben jij dat, schatje?' riep ze.

Ik houd er niet van als tante Tabbie op die
manier 'schatje' zegt, zo met haar tanden op
elkaar geklemd. Dat voorspelt nooit veel
goeds.

Ik begon harder te lopen, maar het was al
te laat. Het lukt me nooit om tante Tabbie te
ontlopen, wat ik ook probeer. Toen ik met
mijn emmers langs de openstaande deur klots-
te begon de berg roet opeens tegen me te praten.

'Bravo, schatje,' zei de berg roet. 'Heel lief
van je dat je de slaapkamers gaat schoonmaken. Het is zo veel beter als de mensen door
een schoon huis lopen. Ik hoop dat ik ze ook
een mooie, schone verwarmingsketel kan
laten zien.'

De berg roet schudde heen en weer en daar kwam warempel tante Tabbie tevoorschijn met een bezem.

'Weet je, ik heb het vreemde gevoel dat deze mensen misschien wel eens exact de juiste mensen voor dit huis zouden kunnen zijn,' zei ze.

Ik stommelde verder met de emmers. 'Vreemd gevoel,' mompelde ik. 'Ik zal ze wel eens een vreemd gevoel bezorgen.'

Al snel had ik alle andere spullen voor mijn Verschrikkelijke Valstrik bij elkaar verzameld. Ik had:

- een grote tas met een assortiment spinnen
- een enorme stapel kussenslopen
- een teil vol spookfluitjes
- een grote doos ballonnen
- een gigantische zak meel

Ik nam alles mee naar de kamer van Ridder Horatius en legde de spullen op een hoop op de grond. Pfff. En toen kuchte er iemand. Ik sprong wel twee meter de lucht in en viel bijna in een emmer extra plakkerige aardbeienpudding.

'HALLO,' zei Edmund.

'Je moet mensen niet zo besluipen,' zei ik. 'En zeker niet als je een spook bent. Daar komen ongelukken van.'

'MAAR RIDDER HORATIUS HEEFT ME OPDRACHT GEGEVEN JE TE HELPEN,' zei Edmund. **'HIJ ZEI DAT ER MENSEN ZOUDEN KOMEN DIE HEM IN EEN VUILNISBAK ZOUDEN STOPPEN EN KATTENVOER VAN HEM ZOUDEN MAKEN. IK BEGRIJP NIET WAAROM IEMAND DAT ZOU WILLEN DOEN.'**

'Dat komt door de Tabitha,' legde ik uit.

'AHA. IK BEGRIJP HET,' zei Edmund.

Daarna was Edmund zeer behulpzaam.

Eerst maakten we 'spoken' klaar – Edmund blies de ballonnen op en ik deed de fluitjes erin. Ik deed een simpele knoop in het uiteinde van de ballonnen zodat ik ze snel en gemakkelijk leeg kon laten lopen. Ik deed de ballonnen in de kussenslopen en strooide het meel erover. Toen schoof ik de haard opzij en Edmund wuifde de 'spoken' naar het balkon. Daarna pakte ik alle spinnen uit de tas en liet ze aan de balustrade van het balkon bungelen. Dat was perfect – ze hingen precies boven de plek waar iedereen altijd met zijn mond open naar boven staart.

Ten slotte droeg ik de emmers extra plakkerige aardbeienpudding naar de rand van het balkon.

De vleermuizen lieten we rustig slapen in de kamer van Ridder Horatius totdat we ze nodig hadden. Toen gingen Edmund en ik ieder achter een emmer zitten.

Wij waren er klaar voor.

~10~
ARAMINTA'S VERSCHRIKKELIJKE VALSTRIK

We hoefden niet lang te wachten – al snel werd er keihard op de voordeur gebonsd. Even was ik bang dat de deur eruit zou vallen, net als de week ervoor.

Tante Tabbie stond in één seconde boven aan de keldertrap. Ze zat nog steeds onder het roet en zag eruit alsof ze een wedstrijdje met mij wilde doen wie het eerste bij de voordeur

zou zijn. Opgelucht haalde ze adem toen ze zag dat ik er niet was. Ze dribbelde door de hal alsof ze een enorme spin was, omringd door dikke wolken roet. Ze trok de voordeur met een ruk open.

Op de stoep stond een idioot stel mensen. Edmund staarde ze aan alsof hij nog nooit zulke mensen gezien had – wat ook wel zal kloppen, omdat hij ongeveer vijfhonderd jaar geleden leefde.

De eerste persoon was een korte, mollige vrouw met een zonnebril op en een felroze jurk aan. Ze droeg een enorm dikke kat. Idioot toch? Wie neemt er nou zijn kat mee als hij een huis gaat bekijken?

Daarnaast stond een heel lange, dunne man. Hij droeg een felgroene jas en hoge gele laarzen met punten. Op zijn hoofd had hij een blauw bolhoedje met een groen kikkertje erop. Even dacht ik dat het een opgezette

kikker was, totdat hij van de hoed af sprong op het hoofd van de kleinste van de drie mensen. *Zij* zag er echt heel saai uit, en best dom. Nou, eigenlijk heel erg dom. Ze had kort, flets haar en droeg een schooluniform: een blauwe trui en een grijze rok. Het enige interessante aan haar was dat er nu een kikker op haar hoofd zat. Maar de groene kikker hield het ook al snel voor gezien, en sprong weer terug op het blauwe bolhoedje.

Tante Tabbie keek het bezoek blij aan, alsof ze nog nooit zulke leuke mensen gezien had.

'Wat fijn dat u er bent,' kirde ze op haar meest beleefde toontje. 'Komt u toch alstublieft binnen.'

'Dank u,' zei het zonnebrilmens. 'Aangenaam, mevrouw... uh...?'

'Spookie,' zei tante Tabbie. 'Tabitha Spookie.'

'Ik ben Brenda Tovenaar,' zei het zonnebrilmens. 'Dit is mijn man Barrie en dit onze dochter Tanja. Toen we uw fantastische bord zagen wilden we meteen uw huis kopen.'

'Wat enig,' zei tante Tabbie. 'Komt u alstublieft verder.'

De mafkezen die mijn huis wilden inpikken liepen de hal binnen en gingen precies daar staan waar ze moesten staan – recht onder het balkon. Perfect. En toen deden ze precies wat ik verwacht had – ze gaapten verwonderd in het rond met hun mond wijd open. Fantastisch!

'Klaar?' vroeg ik aan Edmund. Hij knikte.

Ik liet de 'spoken' los.

WIEEEEJOEJIEEE!

Het was te gek! Hele hordes gillende witte kussenslopen zwermden en kronkelden door de hal. De mafkezen waren gehuld in dikke wolken meel en de kussenslopen vielen boven

op hun hoofd. Eén sloop viel over de kleinste heen zodat ze zelf op een spook leek. Je kon alleen nog maar haar dunne spille-benen zien.

Toen kiepte ik de emmers extra plakke-rige aardbeienpudding om. *SPLATSJJJ!*

Perfect! De pudding was precies goed. Smerige, slijmeri-ge, rode klonten vielen op hun hoofd en glibberden langs hun nek zo hun kleren in.

Maar het mooiste moest nog komen. Edmund maakte de vleermuizen wakker en joeg ze de kamer van Ridder Horatius uit. Als een grote zwarte wolk zwermden ze naar buiten. Een storm van fladderende vleermuizen joeg door de hal. Het was fantastisch. Tante Tabbie krijste, bijna net zo hard als Giga Hotels had gedaan. Intussen sneed ik de spinnenwebben los.

Het regende spinnen, hele vette. De mafkezen werden bedolven onder honderden spinnen. Ze raakten verward in hun haar, krioelden in hun nek en glipten bedekt met extra plakkerige aardbeienpudding in hun mouwen en broekspijpen. De spinnen zochten wanhopig naar een schuilplaats. Een familie van vijftien extra harige spinnen belandde op het zonnebrilmens. Ik denk niet dat ze erg gek was op spinnen, want ze begon heel hard te gillen. Haar kat sprong van schrik de lucht in en belandde op het hoofd van tante Tabbie. Het was zo'n grappig gezicht.

Maar het werd nog grappiger, want tante Tabbie is allergisch voor poezen. *Heel* erg allergisch. Ze moet er enorm hard van niezen en krijgt gigantische rode bulten en geweldige kriebels. Niet echt leuk voor haar.

Dus tante Tabbie niesde – en als tante Tabbie niest dan doet ze het goed, ze gaat er helemaal voor. *'Ha-ha-haaaa-haaaaaaaaaa-TSJOE!'*

Ze verloor haar evenwicht, gleed uit over een berg pudding en botste keihard tegen het zonnebrilmens. Die viel om als een omgekapte boom en greep zich weer vast aan tante Tabbie. Samen gleden ze door de hal, met de kat nog steeds op tante Tabbies hoofd.

Tante Tabbie moest weer niezen: *'Ha-ha-haaaa-haaaaaaaaaa-TSSSJOE!'*

De kat krijste en sprong de lucht in. Het was een waanzinnig gezicht; ik zie het nog voor me, alsof het in slow motion gebeurde. Die grote kat die met z'n haren overeind en z'n klauwen wijd door de lucht vloog, om elegant neer te komen in een grote plas extra plakkerige aardbeienpudding. Hij landde keurig, schoot toen door de hal, al rondjes draaiend alsof hij een schaatser was – en botste uiteindelijk tegen Ridder Horatius.

Edmund vertelde me later dat Ridder Horatius op dat moment een speech had willen houden. Hij had tante Tabbie willen zeggen dat ze verkeerd bezig was. Hij was heel voorzichtig de trap af komen kletteren toen hij de mafkezen binnen had horen komen. Maar met alle drukte in huis had niemand hem in de gaten gehad.

Maar nu zagen ze hem allemaal.

De kat knalde tegen zijn linkervoet; die vloog eraf en schoot de hal in. Met een oorverdovend lawaai en heel langzaam, onderdeel na onderdeel, stortte Ridder Horatius in – net als een toren roestige kattenvoerblikjes in de supermarkt.

Ik keek over de balustrade om te zien hoe het met de mafkezen stond. Dat zag er veelbelovend uit. De kleinste probeerde nog steeds zich te bevrijden uit het kussensloop. De kikkerman was helemaal bedekt met vleermuizen, en het zonnebrilmens lag op haar rug te spartelen als een gestrande kever.

Tante Tabbie keek kwaad, enorm kwaad. Ze stond op, stofte zich af, keek omhoog naar het balkon en zei: '*Werkelijk*, Araminta, dit keer ben je *te ver* gegaan.'

Ik gaf geen antwoord, want al mijn aandacht was gericht op het zonnebrilmens dat overeind probeerde te komen. Ze deed precies wat gestrande kevers doen – ze spartelde wild met haar benen, rolde om, en krabbelde overeind. Toen grabbelde ze tussen de overblijfselen van Ridder Horatius. Ze duikelde haar kat op, die meteen op haar sprong en aan haar bleef plakken alsof hij een stuk klittenband was.

Ik stootte Edmund aan, maar mijn elleboog ging dwars door hem heen en raakte de balkonrand. Au. 'Wacht maar,' zei ik, 'ze staat binnen vijf seconden buiten.'

Maar dat was niet zo. Ze bleef daar maar staan, midden in de hal, terwijl ze blij verrast om zich heen keek. 'Schitterend,' zei ze, 'dit is ons droomhuis!'

GA WEG!

Ik kon het niet geloven. Dat zonnebrilmens stond rond te kijken alsof haar mooiste droom was uitgekomen.

Toen stond de kikkerman op. Hij wapperde een paar vleermuizen weg en zei: 'Perfect! Het is zelfs nog beter dan we gedacht hadden, toch, schat?'

'Zeker,' beaamde het zonnebrilmens. Ze draaide zich om naar tante Tabbie en gaf haar

een hand. 'Wat een *fantastische* ontvangst,' zei ze. '*Heel* hartelijk dank.'

En toen wurmde de kleine saaie zich uit het kussensloop en zei met een heel stomme piepstem: 'Ik zou hier zo graag willen wonen.' Ze trok aan de kleverige mouw van de vrouw en jengelde: 'Kunnen we hier gaan wonen, mam? Alsjeblieft, *alsjeblieft*, alsjeblieft, mama?'

'Natuurlijk, schat.' Het zonnebrilmens lachte.

Hmm. Ik vind het zeer onverstandig om kinderen die jengelen hun zin te geven, en dat geldt in het bijzonder voor irritante kinderen met piepstemmetjes.

Maar het zonnebrilmens gaf meteen toe. Ze zei tegen tante Tabbie: 'Dit is perfect. We nemen het. We kunnen morgen verhuizen!'

Wat? Dit kon ik echt *niet* geloven. Dit was de meest geslaagde Verschrikkelijke Valstrik ooit. Alles was perfect gegaan – zelfs Ridder Horatius was tevoorschijn gekomen. Maar de mafkezen hadden het niet alleen *leuk* gevonden, ze hadden ook nog eens besloten om het huis te kopen. Wat kon ik nog doen?

Ik begon maar tegen ze te schreeuwen. 'GA WEG!' riep ik zo hard als ik kon. Het was gaaf om zo van bovenaf te roepen; het echode door de hele hal en iedereen keek naar boven. Drie verbaasde gezichten en één boos gezicht. 'Jullie *kunnen* hier niet wonen,' brulde ik. 'Dit is *mijn* huis en *ik* woon hier. *GA WEG!*

De boze opende haar mond om iets te zeggen, maar ik was haar voor. 'Het is allemaal jouw schuld, tante Tabbie! Jij hebt me nooit gevraagd of het huis verkocht moest worden, en oom Drac heb je ook nooit iets gevraagd. Je hebt ons gewoon *meegedeeld* wat je ging doen. Dat is *niet* eerlijk. We wonen hier met z'n *allen*, niet alleen *jij*. En ik wil hier *blijven* en ik ga niet weg, NOOIT!'

Tante Tabbie veegde het roet en het meel en de aardbeienpudding en de spinnen van haar gezicht. 'Nou, Araminta,' zei ze, 'één ding is zeker, ik wil hier nog minder graag blijven als het zo'n smeerboel is. Het is al moeilijk genoeg om dit huis schoon te houden. Ik stel voor dat we allemaal een kop thee gaan drinken en het er rustig over hebben. Ik weet zeker dat je minder boos zult zijn als je met meneer en mevrouw Tovenaar hebt gesproken.'

De mafkezen liepen achter tante Tabbie aan de trap af naar de keukens. Vlak voordat ze uit het zicht verdwenen keek de stomme kleine nog even om naar het balkon. Ik stak mijn tong uit en gaf haar mijn meest

Vijandige Blik. Dat zou haar leren.

'Wat een tut,' zei ik tegen Edmund.

En weet je wat Edmund zei? Het was *compleet* gestoord. Hij zei: **'IK VOND DAT ZE ER WEL LEUK UITZAG.'** *Ik vond dat ze er wel leuk uitzag!*

Ik kon mijn oren niet geloven. Ik wierp hem ook mijn Vijandige Blik toe, en hij schoot weg de kamer van Ridder Horatius in, maar ik volgde hem. Ik had een Laatste-Kans-Plan, en ik had Edmunds hulp nodig.

'Jij moet met me meegaan naar de keuken,' zei ik tegen Edmund, die in een hoekje was gekropen. 'Als ze een echt spook zien, zullen ze het geen vijf seconden meer uithouden.'

'DAT HEB JE EERDER GEZEGD,' zei hij op een irritant toontje, **'EN ZE ZIJN NOG STEEDS HIER. NOU JA. IK VIND ZE AARDIG. IK BEN ER WEL VOOR DAT ZE BLIJVEN.'**

'Luister, Edmund,' zei ik, want het was

duidelijk dat hij het nog steeds niet doorhad, 'als *zij* blijven moet *ik* weggaan. Dat zou je toch niet willen?'

Zo, dat was duidelijk. Hij zei niets meer; hij zweefde gewoon weg naar de oude, gammele ladder. Maar ik was niet van plan hem te laten ontsnappen.

'Edmund!' schreeuwde ik.

'**WAT?**' zei hij met een enorme mopperstem.

'Jij bent toch de page van Ridder Horatius?'

'**JA**...'

'Dus dat betekent dat je moet doen wat hij zegt, toch?'

'**JAHA**...'

'En Ridder Horatius heeft gezegd dat je mij moest helpen, *nietwaar*?'

'**JA**...' Hij zuchtte net als tante Tabbie deed

wanneer de verwarmingsketel weer eens frat-sen had.

'Nou, jij moet *mij* helpen om van deze ver-schrikkelijke mensen af te komen. En wel nu. Jij moet met me meekomen en ze wegjagen.'

'**GOED.**' zei Edmund knorrig.

Maar het kon me niets schelen hoe knorrig hij was. Dit was mijn Laatste-Kans-Plan en het *moest* lukken.

~12~
HET LAATSTE-
KANS-PLAN

Oom Drac maakte ook deel uit van het
Laatste-Kans-Plan. Ik zag wel dat Edmund
niet de juiste persoon was voor deze klus. Het
was net wat voor hem om op het verkeerde
moment te gaan zweven, of om niet eng
genoeg te zijn. Dus ik had oom Drac ook
nodig, want op hem kon ik tenminste altijd
rekenen.

Ik wou net het deurtje van de toren openmaken toen het openvloog en oom Drac de overloop op stommelde.

'O, Minty, Minty,' zei hij, 'er is iets vreselijks gebeurd. Al mijn vleermuizen zijn weg.'

'Nee, dat is niet waar,' zei ik.

'Jawel, ze zijn…'

'Oom Drac,' zei ik streng, 'terwijl u daar maar hing en niets anders uitvoerde dan slapen en snurken, heeft tante Tabbie *ons huis verkocht!*'

Oom Drac keek verward. Hij houdt er niet van om overdag wakker te zijn. 'Waaat?' mompelde hij.

'Er zijn hier drie vreemde vogels, oom Drac – en eentje is echt een tuttebel, je gelooft het gewoon niet, zo *stom* – en tante Tabbie *verkoopt het huis aan ze!*'

'Huh?'

Oom Drac kan soms echt heel sloom zijn.

Ik greep hem beet en trok hem mee.

'Je kunt tevoorschijn komen!' riep ik naar Edmund, die in een hoekje van de geheime gang had zitten pruilen. Hij zweefde naar buiten.

'Wie is dat, Minty?' vroeg oom Drac toen hij Edmund zag.

'Dat is Edmund, oom Drac. En als het u niet lukt om tante Tabbie om te praten, dan zal Edmund die mensen de stuipen op het lijf jagen zodat ze weggaan.'

Oom Drac bleef maar achterom kijken naar Edmund terwijl hij de trap afliep. 'Hij ziet er niet best uit, Minty. Wat is er mis met hem?' fluisterde hij.

'Hij is dood, oom Drac.'

'Dood?' Oom Drac zag opeens zo wit als Edmund.

'Hij is een *spook*,' legde ik hem geduldig uit. 'Nu moet u opschieten. Voor je het weet heeft tante Tabbie het huis verkocht en moet u al uw vleermuizen inpakken.'

'Mijn vleermuizen. *Waar* zei je dat mijn vleermuizen waren, Minty?'

'Dat heb ik niet gezegd, oom Drac. Nu moeten jullie allebei opschieten.'

Hoe ik Edmund en oom Drac heb meegekregen naar de derde-keuken-rechts-net-voorbij-het-stookhok weet ik niet. Maar het is gelukt. Iedereen zat aan de tafel, en tante Tabbie schonk de thee in.

'Ha, Drac,' zei tante Tabbie, terwijl ze opkeek. 'Ik ben blij dat je er bent. En Araminta. En, uh… hoe heet je vriend, Araminta? Hij ziet erg witjes. Wil hij misschien iets warms drinken?'

'Dit is Edmund,' legde ik haar uit. 'En hij hoeft niets te drinken, dank u wel. Hij is een spook.'

Ik keek rond om te kijken wat de reactie van de mafkezen was, maar zij staarden Edmund opgetogen aan.

'O wat *enig*,' kirde het zonnebrilmens. 'Een jongensspook. Wat *schattig*. Dag, Edmund, jongen.'

'**DAG**,' fluisterde Edmund.

'Luister, Edmund,' siste ik. '"Dag" is niet goed genoeg. Kun je geen bloedstollende schreeuw of zoiets produceren?'

Maar Edmund deed helemaal niets. Hij hing maar een beetje bij de deur te hangen met een suffe glimlach op zijn gezicht. Hij was allesbehalve eng. Edmund was het niet waard een spook te zijn, dacht ik. Als ik een spook was, zou ik door de keuken hebben gegierd, terwijl ik krijsend alle dingen van tafel veegde. En dat was nog maar het begin geweest.

Het kleine Tovenaarswezen zat Edmund aan te grijnzen. Ik moest wel mijn breedbekkikkergezicht trekken. Maar het enige wat ze deed was giechelen. En toen gebeurde er echt

iets heel vreemds. Ze pakte het glas sinaasappelsap dat tante Tabbie net voor haar had
ingeschonken; plotseling borrelde het sap
over de rand heen en het werd *blauw*. Eventjes
had ik de hoop dat tante Tabbie van gedach-
ten was veranderd en haar wilde vergiftigen,
maar de Tovenaarsman zei: 'Niet zo met je
drankje spelen, Tanja.'

Tanja knipte met haar vingers en het werd
weer oranje sinaasappelsap. Uitsloofster. Toen
pakte ze vier tamme muizen uit haar zak en
zette die voor zich op de tafel. De muizen
deden meteen handstandjes en radslagen rond
haar glas. Dubbele uitsloofster.

Oom Drac schuifelde langs Edmund binnen, en tante Tabbie zei dat hij naast haar
moest gaan zitten. 'Drac, schatje,' zei tante
Tabbie, 'dit zijn Brenda, Barrie en Tanja
Tovenaar, en zij gaan ons huis kopen. Vind je
dat niet geweldig?'

Oom Drac zei niets. Hij keek me aan – om precies te zijn keek *iedereen* me aan – dus ik veranderde mijn breedbekkikkergezicht in een scheel breedbekkikkergezicht.

Tante Tabbie zuchtte. 'Maar zoals je kan zien, Drac, heeft Araminta er wat... moeite mee.'

'Wacht even, Tabbie,' mompelde oom Drac, terwijl hij met zijn ogen knipperde. Hij heeft moeite met licht, en soms denk ik wel eens dat hij zelf een grote vleermuis is. 'Moeten we dit huis echt *verkopen?*' zei hij.

'Minty is erg overstuur en mijn vleermuizen zijn helemaal van slag.'

'En de verwarmingsketel ook,' vulde tante Tabbie aan. 'Zoals *altijd*. Ik heb *geen* zin meer in die ketel, Drac. Ik *meen* het.'

Ik zag wel dat oom Drac geen weerwoord had en dat tante Tabbie het – zoals altijd – zou winnen. Dus ik zei: 'Oom Drac, u moet iets doen. *Alstublieft.*'

'O ja?' vroeg hij bezorgd.

'Ja,' zei ik. 'U *moet* iets doen.'

Ik ging tegenover hem zitten en keek hem aan. Ik trok niet langer mijn breedbekkikker-gezicht en ik toverde ook niet mijn Vijandige Blik tevoorschijn. Ik keek hem alleen maar heel serieus aan. Want het was me menens.

Oom Drac kuchte en zei toen: 'Tabbie, liefje, het spijt me van de verwarmingsketel. Ik weet dat ik er de laatste tijd te weinig aandacht aan heb besteed en dat ik jou met het werk heb opgescheept. Ik weet dat dat niet eerlijk was, en ik beloof je dat ik voortaan ook de verwarmingsketel zal schoonmaken…'

'En de aanmaakhoutjes zal hakken en kolen zal halen,' ging tante Tabbie verder.

'Uh, ja, dat ook.'

'En hem zal legen en aansteken en…'

'Ja, ja, dat zal ik ook allemaal doen.'

'Beloofd?'

'Beloofd,' zei die goeie oude oom Drac.

Tante Tabbie ging plotseling zitten. 'Tjonge,' zei ze, 'ik heb wel het een en ander meegemaakt vandaag, Drac, maar dat jij nu aanbiedt het volledige onderhoud van de verwarmingsketel over te nemen slaat echt alles.'

'Betekent dat dat u het huis niet gaat verkopen?' vroeg ik.

'Ja, vooruit dan maar, Araminta,' zuchtte tante Tabbie, 'ik zal het niet verkopen.'

'Joepie!' gilde ik.

'O,' mompelden de Tovenaars.

'Het spijt me heel erg,' zei tante Tabbie, 'maar het huis is niet langer te koop. Wilt u nog een kopje thee?'

'Nee, dank u,' zuchtte het Tovenaarsmens, 'we moesten maar eens gaan.'

Hoog tijd, dacht ik – maar ze stond niet op. In plaats daarvan zei ze: 'Het klinkt misschien een beetje gek, maar het viel me op dat u type drie heeft met dubbele asladen en een omkeerbare schudzeef. Om precies te zijn is dit er eentje uit de uiterst zeldzame B-serie.'

'Een serie-watte?' vroeg tante Tabbie.

'Uw verwarmingsketel. Ik vroeg me af of ik er even naar mag kijken voordat ik ga. Je ziet ze tegenwoordig nog maar zelden, weet u.'

Tante Tabbie keek het Tovenaarsmens aan alsof ze gek geworden was, maar nam haar toch maar mee naar het stookhok.

Toen ze weg waren kwam oom Drac overeind uit zijn stoel. 'Moet nu mijn vleermuizen gaan zoeken,' zei hij.

'Heeft u hulp nodig?' vroeg de Tover-naarsman. 'Het is best lastig om ze in je een-tje te pakken te krijgen.'

'Ja, graag,' zei oom Drac en samen met de Tovenaarsman verdween hij om de vleer-muizen te gaan vangen.

'IK MOET ER OOK WEER VANDOOR.' zei Edmund. Hij zweefde door de keukenmuur.

'Dag, Edmund,' zei de Tovenaarsuitsloof-ster.

'VAARWEL, TANJA.' klonk Edmunds stem ergens binnen in de muur.

Nu waren alleen nog maar Tanja het Tovenaarsmeisje en ik over. 'Ik kan je wel leren hoe je je sinaasappelsap blauw kan tove-ren,' zei ze.

Ach, waarom ook niet? Je weet per slot van rekening nooit wanneer zo'n trucje van pas komt.

Dus ik zei: 'Oké.'

~13~

TANJA EN
ARAMINTA

Tanja was eigenlijk best wel oké. Ze liet me
zien hoe je blauwe sinaasappelsap kon maken,
en al snel lukte het me om ook de thee *en* oom
Dracs koffie in blauwe bubbelende drankjes
om te toveren. Maar toen zei Tanja dat ze
moest gaan. Ik zei dat ze best nog even kon
blijven; als ze wilde kon ze haar muizen nog
een keer de handstand laten doen. Zo zaten
we even later naar de Ongelofelijke Muizen-

piramide te kijken. Best gaaf. Toen hoorden we boven een enorme knal. We raceten de trap op om te zien wat er aan de hand was.

Dat was echt grappig. Tanja's vader Barrie hing in de gordijnen en probeerde Grote Vleer te pakken, terwijl oom Drac klaarstond met een groot net. Tante Tabbies vaas viel aan diggelen. Oeps.

'Hé, Grote Vleer!' riep oom Drac. 'Kom eens hier, Grote Vleer, zo ben je braaf!'

Grote Vleer vloog ervandoor en Barrie viel in het net.

Tanja en ik rolden over de grond van het lachen, maar Barrie en oom Drac vonden het niet grappig. Dus nam ik Tanja maar mee naar boven om haar al mijn slaapkamers te laten zien. Tanja vond het te gek. Zelf had ze thuis maar één pietepeuterig kamertje.

Omdat Barrie nog steeds oom Drac aan het helpen was met het vangen van Grote

Vleer en Brenda nog steeds met tante Tabbie de verwarmingsketel aan het bekijken was, hielp Tanja mij daarna met het in elkaar zetten van Ridder Horatius. We poetsten de aardbeienpudding en bloem weg en boenden hem helemaal blinkend met tante Tabbies poetsmiddel voor de verwarmingsketel. *En* we maakten zijn linkervoet weer goed vast.

Toen hij weer helemaal goed in elkaar zat stond Ridder Horatius op en rekte zich uit. **'HEMELTJE, DIT DOET MIJN RUG GOED,'** zei hij en hij knarste weg en nestelde zich in een hoekje van de hal.

'Een beetje olie zou geen kwaad kunnen,' zei Tanja. 'Ik heb wel wat fietsolie.'

'Kun jij dan fietsen?' vroeg ik. Ik heb altijd al een fiets willen hebben, maar volgens tante Tabbie is fietsen gevaarlijk.

'Natuurlijk,' zei Tanja. 'Ik kan het jou ook wel leren als je wilt.'

Beetje bij beetje begon ik Tanja steeds interessanter te vinden.

Toen Tanja's moeder Brenda zei dat ze nu echt naar huis moesten gaan, vroeg ik dan ook: 'Mag Tanja niet blijven slapen, tante Tabbie? Alstublieft? *Alstublieft*?'

Dus bleef Tanja logeren. En Brenda en Barrie ook. Brenda wilde de verwarmingsketel weer goed aan de praat krijgen en Barrie probeerde nog steeds samen met oom Drac Grote Vleer te vangen.

De volgende nacht bleven ze ook slapen. En de volgende, *en* de volgende, en de volgende. En toen, vanochtend, zei tante Tabbie dat het idioot zou zijn als ze weer terug naar hun huis zouden gaan, tenzij zij het zelf wilden. En Brenda, Barrie en Tanja zeiden dat ze dat niet echt wilden.

Dus nu vind ik het helemaal niet erg meer dat tante Tabbie het huis wilde verkopen,

want het is hier nu veel leuker met Tanja erbij,
en ik heb twee spoken gevonden – nu weet ik
tenminste zeker dat ik in een spookhuis woon,
precies zoals ik altijd heb gewild.